携手同行现代化之路

——在中国共产党与世界政党高层对话会上的主旨讲话

（2023年3月15日）

习　近　平

人民出版社

携手同行现代化之路

——在中国共产党与世界政党高层对话会上的主旨讲话

（2023年3月15日，北京）

中共中央总书记、中华人民共和国主席
习 近 平

尊敬的各位政党领导人，
女士们，先生们，朋友们：

很高兴同大家相聚，探讨“现代化道路：政党的责任”这一重要命题。

人类社会发展进程曲折起伏，各国探索现代化道路的历程充满艰辛。当今世界，多重挑战和危机交织叠加，世界经济复苏艰难，发展鸿沟不断拉大，生态环境持续恶化，冷战思维阴魂不散，人类社会现代化进程又一次来到历史的十字路口。

两极分化还是共同富裕？物质至上还是物质精神协调发展？竭泽而渔还是人与自然和谐共生？零和博弈还是合作共赢？照抄照搬别国模式还是立足自身国情自主发展？我们究竟需要什么样的现代化？怎样才能实现现代化？面对这一系列的现代化之问，政党作为引领和推动现代化进程的重要力量，有责任作出回答。在这里，我愿谈几点看法。

——我们要坚守人民至上理念，突出现代化方向的人民性。人民是历史的创造者，是推进现代化最坚实的根基、最深厚的力量。现代化的最终目标是实现人自由而全面的发展。现代化道路最终能否走得通、行得稳，关键要看是否坚持以人民为中心。现代化不仅要看纸面上的指标数据，更要看人民的幸福安康。政党要锚定人民对美好生活的向往，顺应人民对文明进步的渴望，努力实现物质富裕、政治清明、精神富足、社会安定、生态宜人，让现代化更好回应人民各方面诉求和多层次需要，既增进当代人福祉，又保障子孙后代权益，促进人类社会可持续发展。

——我们要秉持独立自主原则，探索现代化道路的多样性。现代化不是少数国家的“专利品”，也不是非此即彼的“单选题”，不能搞简单的千篇一律、“复制粘贴”。一个国家走向现代化，既要遵循现代化一般规律，更要立足本国国情，具有本国特色。什么样的现代化最适合自己，本国人民最有发言权。发展中国家有权利也有能力基于自身国情自主探索各具特色的现代化之路。要坚持把国家和民族发展放在自己力量的基点上，把国家发展进步的命运牢牢掌握在自己手中，尊重和支持各国人民对发展道路的自主选择，共同绘就百花齐放的人类社会现代化新图景。

——我们要树立守正创新意识，保持现代化进程的持续性。面对现代化进程中遇到的各种新问题新情况新挑战，政党要敢于担当、勇于作为，冲破思想观念束缚，破除体制机制弊端，探索优化方法路径，不断实现理论和实践上的创新突破，为现代化进程注入源源不断的强大活力。要携手推进全球治理体系改革和建设，推动国际秩序朝着更加公正合理的方向发展,在不断促进权利公平、机会公平、规则公平的努力中推进人类社会现代化。

——我们要弘扬立己达人精神,增强现代化成果的普惠性。人类是一个一荣俱荣、一损俱损的命运共同体。任何国家追求现代化,都应该秉持团结合作、共同发展的理念,走共建共享共赢之路。走在前面的国家应该真心帮助其他国家发展。吹灭别人的灯,并不会让自己更加光明;阻挡别人的路,也不会让自己行得更远。要坚持共享机遇、共创未来,共同做大人类社会现代化的“蛋糕”,努力让现代化成果更多更公平惠及各国人民,坚决反对通过打压遏制别国现代化来维护自身发展“特权”。

——我们要保持奋发有为姿态,确保现代化领导的坚定性。现代化不会从天上掉下来,而是要通过发扬历史主动精神干出来。作为现代化事业的引领和推动力量,政党的价值理念、领导水平、治理能力、精神风貌、意志品质直接关系国家现代化的前途命运。自胜者强。政党要把自身建设和国家现代化建设紧密结合起来,踔厉奋发,勇毅笃行,超越自我,确保始终有信心、有意志、有能力应对好时代挑战、回答好时代命题、呼应好人民期盼，为不断推进现代化进程引领方向、凝聚力量。

女士们、先生们、朋友们！

实现现代化是近代以来中国人民矢志奋斗的梦想。中国共产党 100 多年团结带领中国人民追求民族复兴的历史，也是一部不断探索现代化道路的历史。经过数代人不懈努力，我们走出了中国式现代化道路。

中国共产党第二十次全国代表大会提出，要以中国式现代化全面推进中华民族伟大复兴。中国式现代化是人口规模巨大、全体人民共同富裕、物质文明和精神文明相协调、人与自然和谐共生、走和平发展道路的现代化，既基于自身国情、又借鉴各国经验，既传承历史文化、又融合现代文明，既造福中国人民、又促进世界共同发展，是我们强国建设、民族复兴的康庄大道，也是中国谋求人类进步、世界大同的必由之路。我们将坚持正确的方向、正确的理论、正确的道路不动摇，不走改旗易帜的邪路。我们将始终把自身命运同各国人民的命运紧紧联系在一起，努力以中国式现代化新成就为世界发展提供新机遇，为人类对现代化道路的探索提供新助力，为人类社会现代化理论和实践创新作出新贡献。

中国共产党将致力于推动高质量发展，促进全球发展繁荣。我们将加快构建新发展格局，不断扩大高水平对外开放，持续放宽市场准入，让开放的大门越开越大。随着中国现代化产业体系建设的推进，我们将为世界提供更多更好的中国制造和中国创造，为世界提供更大规模的中国市场和中国需求。我们将坚定支持和帮助广大发展中国家加快发展，实现工业化、现代化，为缩小南北差距、实现共同发展提供中国方案和中国力量。我们愿同各国政党一道，推动共建“一带一路”高质量发展，加快全球发展倡议落地，培育全球发展新动能，构建全球发展共同体。

中国共产党将致力于维护国际公平正义，促进世界和平稳定。中国式现代化不走殖民掠夺的老路，不走国强必霸的歪路，走的是和平发展的人间正道。我们倡导以对话弥合分歧、以合作化解争端，坚决反对一切形式的霸权主义和强权政治，主张以团结精神和共赢思维应对复杂交织的安全挑战，营造公道正义、共建共享的安全格局。世界不需要“新冷战”，打着民主旗号挑动分裂对抗，本身就是对民主精神的践踏，不得人心，贻害无穷。中国实现现代化是世界和平力量的增长，是国际正义力量的壮大，无论发展到什么程度，中国永远不称霸、永远不搞扩张。

中国共产党将致力于推动文明交流互鉴，促进人类文明进步。当今世界不同国家、不同地区各具特色的现代化道路，植根于丰富多样、源远流长的文明传承。人类社会创造的各种文明，都闪烁着璀璨光芒，为各国现代化积蓄了厚重底蕴、赋予了鲜明特质，并跨越时空、超越国界，共同为人类社会现代化进程作出了重要贡献。中国式现代化作为人类文明新形态，与全球其他文明相互借鉴，必将极大丰富世界文明百花园。

女士们、先生们、朋友们！

“一花独放不是春，百花齐放春满园。”在各国前途命运紧密相连的今天，不同文明包容共存、交流互鉴，在推动人类社会现代化进程、繁荣世界文明百花园中具有不可替代的作用。在此，我愿提出全球文明倡议。

——我们要共同倡导尊重世界文明多样性，坚持文明平等、互鉴、对话、包容，以文明交流超越文明隔阂、文明互鉴超越文明冲突、文明包容超越文明优越。

——我们要共同倡导弘扬全人类共同价值，和平、发展、公平、正义、民主、自由是各国人民的共同追求，要以宽广胸怀理解不同文明对价值内涵的认识，不将自己的价值观和模式强加于人，不搞意识形态对抗。

——我们要共同倡导重视文明传承和创新，充分挖掘各国历史文化的时代价值，推动各国优秀传统文化在现代化进程中实现创造性转化、创新性发展。

——我们要共同倡导加强国际人文交流合作，探讨构建全球文明对话合作网络，丰富交流内容，拓展合作渠道，促进各国人民相知相亲，共同推动人类文明发展进步。

我们愿同国际社会一道，努力开创世界各国人文交流、文化交融、民心相通新局面，让世界文明百花园姹紫嫣红、生机盎然。

中国共产党将致力于加强政党交流合作，携手共行天下大道。我们愿同各国政党和政治组织深化交往，不断扩大理念契合点、利益汇合点，以建立新型政党关系助力构建新型国际关系，以夯实完善全球政党伙伴关系助力深化拓展全球伙伴关系。中国共产党愿继续同各国政党和政治组织一道，开展治党治国经验交流，携手同行现代化之路，在推动构建人类命运共同体的大道上阔步前进。

女士们、先生们、朋友们！

人类社会现代化的征程难免遭遇坎坷，但前途终归光明。中国共产党愿同各方一道努力，让各具特色的现代化事业汇聚成推动世界繁荣进步的时代洪流，在历史长河中滚滚向前、永续发展！

谢谢大家！

图书在版编目(CIP)数据

携手同行现代化之路:在中国共产党与世界政党高层对话会上的主旨讲话/习近平 著. —北京:人民出版社,2023.3
ISBN 978-7-01-025547-7

Ⅰ.①携… Ⅱ.①习… Ⅲ.①习近平-讲话-学习参考资料 ②中国共产党-国际合作-学习参考资料 Ⅳ.①D2-0②D27

中国国家版本馆 CIP 数据核字(2023)第 049416 号

(RMC-ZJDXT-133-20230315)

携手同行现代化之路

XIESHOU TONGXING XIANDAIHUA ZHILU

——在中国共产党与世界政党高层对话会上的主旨讲话

习 近 平

人民出版社 出版发行
(100706 北京市东城区隆福寺街 99 号)

北京新华印刷有限公司印刷 新华书店经销

2023 年 3 月第 1 版 2023 年 3 月北京第 1 次印刷
开本:880 毫米×1230 毫米 1/32 印张:0.5
字数:8 千字

ISBN 978-7-01-025547-7 定价:2.00 元

邮购地址 100706 北京市东城区隆福寺街 99 号
人民东方图书销售中心 电话 (010)65250042 65289539